LEVEL3

1

333

영어

저자 서문

안녕하세요, 저자 조정현입니다.

영어를 처음 배우기 시작하는 것은 쉽지 않은 도전이지만, 새로운 언어를 익히며 세상을 넓혀가는 여정은 매우 의미 있는 일입니다. 이 책은 영어 회화를 처음 접하는 왕초보 학습자부터 초보자, 중급자 학습자 여러분들을 위해 만들어졌으며, 단계별로 영어 실력을 자연스럽게 향상시킬 수 있도록 구성하였습니다. 주위에 수많은 영어 교재들이 있지만, 첫 페이지부터 끝까지 완독하며 만족스럽게 학습을 하게 되는 경우는 드문 것이 사실입니다. 과연 이유가 무엇일까요?

학습자에게 지속적으로 흥미를 주고 계속 나아갈 수 있게 동기부여해 주는 데에 한계가 있기 때문일 것입니다. 이제 우리는 더 이상 지체하지 말고, 그동안 수없이 목표로 삼아왔던 영어라는 이 여정을 즐겨야 하기에, 조정현의 3-3-3 영어 시리즈를 십분 활용하면 되는 것입니다.

흥미를 이끌어내는 생활 속 표현들을 주제로, 매 단원마다 [삽화]-[상황듣기]-[문제해결]-[어휘표현]-[문장완성]-[꿀팁]-[발음 및 문법] 순으로 진행하게 됩니다.

무엇보다도 아날로그 감성의 손그림으로 호기심을 자극해 드립니다. - 저자의 부족한 그림 솜씨(?)에 대해 미리 양해를 부탁드립니다. - 하지만 따뜻한 감성으로 한 땀 한 땀 정성을 다해 그렸으니 삽화의 캐릭터들과 친해지시길 바라는 마음입니다.

(**Level 1 기초 다지기**) 영어의 필수 어휘를 익히고 기본적인 문장을 만들어내는 능력을 기르는 데 중점을 두고 있습니다. 이 단계에서는 복잡한 문장을 만들기보다는, 간단하고 명확한 문장 구조를 이해하는 것이 중요합니다. 기본 문장을 반복 연습하시기 바랍니다. 특히, 실생활에서 자주 쓰이는 가벼운 일상 대화 등을 중심으로 구성했으니 쉽고 재미있게 학습이 가능합니다.

(**Level 2 자신감 키우기**) Level 1에 비해, 다양한 문장을 말할 수 있도록 돕는 데 중점을 두고 있습니다. 조금 더 긴 문장을 듣고, 만들어보고, 의문문이나 부정문 등 다양한 문장 구조를 연습하는 단계입니다. 이 과정에서 중요한 것은 문법적인 정확성도 물론 중요하지만, 우선 자신감을 가지고 말을 해보는 것입니다. 실수를 두려워하지 않고 꾸준히 연습하는 것이 가장 중요한 포인트입니다.

(**Level 3 실전 활용하기**) 학교, 직장, 가정 등의 일상생활에서의 영어 회화를 자연스럽게 구사할 수 있도록 도와줍니다. 다양한 상황별 회화 연습을 통해 실제 대화에서 유용한 표현들을 익히고, 영어로 생각하는 습관을 기르는 것이 목표입니다. 이 단계에서는 상황에 맞는 적절한 표현을 찾아가는 연습을 하는 것이 중요합니다. 실제로 원어민들이 자주 쓰는 표현들에 적응하고 자신감을 얻으실 수 있습니다.

이 책을 통해 여러분이 영어에 자신감을 가지게 되고, 더 나아가 자유롭게 영어로 소통하는 기쁨을 누리게 되기를 진심으로 바랍니다. 끊임없는 노력과 열정으로 여러분의 목표를 멋지게 이뤄 가시기를 응원합니다.

저자 조정현 드림

도서 구성

333 영어는 3개 레벨, 90일의 커리큘럼으로 구성되어 있습니다.
밝고 통통 튀는 조정현 선생님의 강의와 함께 학습을 진행하시면 됩니다.

Level 1

단어를 외우는 것만으로 자연스럽게 말하기는 어렵습니다. 외운 단어들이 어떤 상황에서 어떤 뉘앙스로 사용되는지를 정확히 알아야 비로소 말이 술술 나오게 됩니다. Level 1에서는 내가 아는 단어로 쉽게 말할 수 있는 문장들로 구성하여, 실생활에서 바로 사용할 수 있는 영어 회화 능력을 키울 수 있습니다.

Level 2

다 아는 단어인데 뜻이 전혀 다른 관용적 표현들이 있습니다. 이런 표현들만 잘 사용해도, 수준 높은 영어 회화가 가능합니다. Level 2는 다양한 관용적 표현을 활용해 쉽게 영어 수준을 높일 수 있는 문장들로 구성되어 있습니다.

Level 3

Level 3에서 소개하는 문장 30개만 잘 사용해도 영어 회화는 문제없습니다. 문장을 통째로 외우기는 쉽지 않지만, 외워야 할 때는 외워야 하죠. 효율적으로 외우면 부담도 훨씬 덜할 텐데요. Level 3는 사용 빈도가 높은 가성비 좋은 문장들을 선정하여, 영어 회화를 충분히 구사할 수 있도록 구성되어 있습니다.

목차

학습 방법

하루 3번, 각각의 다른 3가지 단계로 학습할 수 있도록 구성되어 있습니다.

① 오늘의 상황을 그림으로 이해하고, 오늘의 표현을 우리말로 먼저 확인합니다.

② 나라면 이 상황에서 어떻게 영어로 말할 수 있을지, 내가 아는 영어로 나만의 문장을 적어 봅니다.

③ 오늘의 대화를 통해 오늘 배울 표현이 어떻게 쓰였는지 대화 속 영어 문장을 통해 확인합니다.
QR코드를 통해 원어민의 음성을 듣고, 발음과 억양도 꼭 확인하세요.

④ 대화 속 상황을 잘 이해하였는지, 문제를 풀어보면서 확인합니다.

5 ▢ 오늘의 필수 어휘 및 표현을 확인해 보세요.

debate : 논의 / 논쟁하다, 공금이 생기다
under the weather : 몸이 좀 안 좋은
sort of : 어느 정도
awkward situation: 난처한 상황, 곤란한 입장
suit : 정장 / 맞다, 어울리다

6 ▢ 필수 어휘와 표현을 이용하여, 우리말에 맞게 영어 문장을 완성해 보세요.

◯ I'm _____
난 아직 고민중이야.

◯ Are you _____ the _____?
컨디션 안좋아?

◯ I'm in an _____ with him.
난 그와 좀 어색한 상황이야.

7 ▢ 다음 문장을 3번 쓰고, 소리 내어 읽어 보세요.

Suit yourself.
마음대로 해, 너 원하는 거 해.

① _____
② _____
③ _____

8 ▢ Suit yourself 은 이미 설명해드린 대로 상황에 따라 긍정적인, 부정적인 뉘앙스를 모두 담을 수 있죠. 반면, 다음 표현들은 좀 더 예의있게 느껴지고, 긍정적인 상황에서 쓰이게 됩니다.
· As you please. 원하는 대로요.
· Be my guest. (주로 부탁 받았을 때 응답) 원하는 대로 하세요.

9 ▢ **Tongue Twister** [t] [r] vs. [f] [br] 발음 집중 연습

Fred fed Ted bread, and 프레드는 테드에게 빵을 먹였고,
[f뤠ㄷ f ㄷ 테ㄷ ㅂ뤠~덴]
Ted fed Fred bread. 테드는 프레드에게 빵을 먹였다.
[테ㄷ f ㄷ f 뤠ㄷ ...]
[f] 발음을 집중적으로 ...
또한 [fr], [br] 발음 ...

Grammar stop + to 부정사 vs. stop + 동명사
Stop goofing around.를 통해 [stop + 동명사]의 구조를 확인했죠?
[stop + to 부정사] 구조도 있는데, 의미 차이를 구분할 수 있어야 합니다.
예문을 통해 비교해 보세요.
예) I had to **stop to** drink coffee. 커피를 마시려고 멈춰 서야 했다.
    I **stopped** drinking coffee. 커피 마시던 것을 멈췄다.

▣ 대화에서 등장한 필수 어휘와 표현을 확인해 보세요. 문장에서 쓰인 표현을 우리말로 확인해봅니다.

▣ 필수 어휘와 표현을 잘 이해하였는지, 문제를 통해 정확한 사용법을 익힙니다. 수, 시제, 인칭 등의 변화에 주의하면서 문제를 풀어봅니다.

▣ 오늘의 문장은 꼭 소리내서 읽고, 3번 써보세요. 눈으로, 손으로, 입으로 익히는 시간이 됩니다.

▣ 알아두면 좋은 꿀팁을 정리하였습니다. 아~ 이런 표현도 있구나! 하고 확인해두면 좋을 것 같아요.

▣ 차시를 마무리하며, 영어 발음에 도움이 되는 Tongue Twister 혹은 문법을 간단하고 쉽게 이해할 수 있도록 Grammar 등 다양한 코너를 준비하였습니다. 유용한 정보를 확인하며 학습을 마무리해 보세요.

학습 캘린더 학습을 마친 후, 학습 결과에 맞게 색칠해 보세요. 복습이 필요한 곳은 잊지 말고 복습을 진행해 주세요.

10 Days Study Calender

년   월   일

· 아침 학습
· 점심 학습
· 저녁 학습

영어 문장 _____

우리말 뜻 _____

년   월   일

· 아침 학습
· 점심 학습
· 저녁 학습

영어 문장 _____

우리말 뜻 _____

년   월   일

· 아침 학습
· 점심 학습
· 저녁 학습

영어 문장 _____

우리말 뜻 _____

년   월   일

· 아침 학습
· 점심 학습
· 저녁 학습

영어 문장 _____

우리말 뜻 _____

년   월   일

· 아침 학습
· 점심 학습
· 저녁 학습

영어 문장 _____

우리말 뜻 _____

	년 월 일

· 아침 학습

· 점심 학습

· 저녁 학습

영어 문장 _____

우리말 뜻 _____

	년 월 일

· 아침 학습

· 점심 학습

· 저녁 학습

영어 문장 _____

우리말 뜻 _____

	년 월 일

· 아침 학습

· 점심 학습

· 저녁 학습

영어 문장 _____

우리말 뜻 _____

	년 월 일

· 아침 학습

· 점심 학습

· 저녁 학습

영어 문장 _____

우리말 뜻 _____

	년 월 일

· 아침 학습

· 점심 학습

· 저녁 학습

영어 문장 _____

우리말 뜻 _____

 웃는 얼굴 : 확실히 알아요.

 보통 얼굴 : 어느 정도 이해했어요.

 찡그린 얼굴 : 복습이 필요해요.

01 빼질거리지 좀 마.

월   일   요일

함께 진행하는 일이 있는데, 어떤 사람은 가끔 빼질거리는 경우가 있죠.

이리 빼질 저리 빼질… 어느 정도는 눈감아 줄까 하다가도, 하다가도 정도를 지나치면 "빼질거리지 좀 마."

하고 따끔하게 조언해 줘야 하는 순간도 있습니다.

영어로는 어떻게 말할까요?

오늘의 문장을 어떻게 말할지, 나만의 영어로 먼저 적어보세요.

If it were me, I would say :

10

대화

A Hey, Mark, can you focus for a moment?
This is not a game. Stop goofing around.

B Oh, sorry. Actually, I've never seen this software. It's pretty fun.

A You know what? We can't afford to waste time goofing around.

B I know. I know. We have a deadline to meet.

A Tell me about it.

B We need to get it done by this week.

A You're telling me. We need everyone's full attention.
Let's get to work right away.

01. A의 감정 상태는 어떤 것 같나요?

① patient

② annoyed

③ alarmed

02. 대화를 통해 알 수 <u>없는</u> 내용을 고르세요.

① A와 B는 함께 진행하는 일이 있다.

② A는 소프트웨어를 잘 안다.

③ A와 B는 이번 주까지 일을 끝내야 한다.

03. A가 말한 You're telling me. 대신에 쓸 수 <u>없는</u> 말을 고르세요.

① Tell me about it.

② You can say that.

③ Tell me another.

- afford to 동사원형   ~할 여유가 있다. 형편이 있다
- waste   낭비하다
- goof around   시간을 허비하다
- meet   충족하다
- attention   주의, 주목

필수 어휘와 표현을 이용하여, 우리말에 맞게 영어 문장을 완성해 보세요.

01. We can't _____ time.

우린 시간을 낭비할 여력이 없어.

02. Don't _____ _____.

시간을 허비하지 마.

03. We need _____'s full _____.

우린 모두의 집중이 필요해.

Stop goofing around.

빽질거리지 좀 마.

① _____

② _____

③ _____

꿀팁! 빽질거리지 좀 말라는 말로 Stop goofing around.외에 다른 표현을 더 살펴볼까요?

· Stop horsing around.

· Stop fooling around.

단어 goof around 빈둥거리다 | horse around 장난치다 | fool around 노닥거리다

Grammar stop + to 부정사 vs. stop + 동명사

Stop goofing around.를 통해 [stop + 동명사]의 구조를 확인했죠?

[stop + to 부정사] 구조도 있는데, 의미 차이를 구분할 줄 알아야 합니다.

예문을 통해 비교해 보세요.

예 I had to **stop to** drink coffee. 커피를 마시려고 멈춰 서야 했다.

I **stopped** drink**ing** coffee. 커피 마시던 것을 멈췄다.

02 내 취향은 아니야.

월   일   요일

우리는 각자의 취향이 있죠.

개인적인 취향을 존중한다는 의미로 "개취"라는 유행어도 있었고요.

음악, 미술, 여행, 패션, 요리 등 다양한 분야에서 "개인적 취향"에 대한 의사 표현을 할 수 있는데요,

그 중에 "내 취향은 아니다."라는 말은 영어로 어떻게 표현하는지 알아볼게요.

오늘의 문장을 어떻게 말할지, 나만의 영어로 먼저 적어보세요.

If it were me, I would say :

14

대화

A   What do you think of this dress?

B   Oh, is that new?

A   Yeah, I just bought it for this Saturday.

B   Saturday? Ah, we have a wedding to go to!

A   Exactly! And it's my first time wearing this style. How do I look?

B   Well, the pattern of the dress is a bit abstract to me. That's not my taste.

A   Fair enough. Thanks for being honest though. I'll go clothes shopping again tomorrow.

01. A의 새로 산 옷에 대해서 B가 마음에 들어 하지 않은 부분은 무엇인가요?

   ① pattern

   ② length

   ③ fabric

02. 대화를 통해 알 수 없는 내용을 고르세요.

   ① A와 B는 주말에 결혼식에 갈 것이다.

   ② A는 내일 쇼핑하러 또 갈 것이다.

   ③ B는 A의 눈치를 본다.

03. A가 말한 Fair enough.대신에 쓸 수 있는 말을 고르세요.

   ① I understand.

   ② I don't buy it.

   ③ I don't understand.

- wedding : 결혼식
- style : 스타일, 방식
- pattern : 패턴, 모양
- abstract : 추상적인
- taste : 맛, 미각

필수 어휘와 표현을 이용하여, 우리말에 맞게 영어 문장을 완성해 보세요.

01. We have a _____ to _____ to.

   결혼식에 가야해.

02. The _____ of the dress is _____.

   드레스 무늬가 추상적이다.

03. It's my first time _____ this _____.

   이런 스타일을 입는 건 처음이야.

That's not my taste.

내 취향은 아니야. 내 입맛은 아니야.

① _____

② _____

③ _____

꿀팁! 취향을 말할 때 taste를 활용할 수 있다는 걸 볼 수 있었습니다.

That's my taste. 내 취향이야.

↪ That's not my taste. 내 취향이 아니야.

또 다른 예로,

That's my cup of tea. 내 취향이야.

↪ That's not my cup of tea. 내 취향이 아니야.

이 또한 자주 쓰이는 표현이니 긍정, 부정 모두 연습해 보세요.

Tongue Twister bought 발음 집중 연습

오랜만에 텅트위스터로 입 운동을 해 볼까요?

이번 대화 속에, I just bought it for this Saturday.이라는 문장이 있었는데요, 이 문장에서 쓰인 bought 발음을 더 연습해 볼까요?

Betty Botter **bought** some butter. 베티 보터는 약간의 버터를 샀다.

[베리 버럴 **벗 썸 버럴**]

17

월   일   요일

이성에게 고백할 때 빠질 수 없는 멘트죠?
좋아하는 마음이 있는 이성에게 "너한테 관심있어, 너한테 반했어" 이런 말을 들으면
정말 행복하겠죠?
설렘을 주는 이 말들 영어로도 알아볼게요.

오늘의 문장을 어떻게 말할지, 나만의 영어로 먼저 적어보세요.

If it were me, I would say :

대화

A   Hey, Jessy. Do you have a minute to talk?

B   Sure, what is it?

A   Um, this might sound a bit awkward, but I've been wanting to say something.

B   Okay, go ahead. I'm ready to listen.

A   You know what? I have a thing for you.

B   Wow, that's... unexpected. Well, honestly, I've got a crush on you.

A   Really, you do? Then how about going out for dinner tonight?

01. A와 B의 관계를 한 마디로 나타낼 수 있는 단어를 고르세요?

   ① hostile

   ② boring

   ③ green light

02. 대화를 통해 알 수 있는 내용을 고르세요.

   ① A와 B는 서로 호감이 있다.

   ② A와 B는 처음 본 사이이다.

   ③ A와 B는 헤어질 예정이다.

03. A가 말한 I have a thing. 대신에 쓸 수 있는 말을 고르세요.

   ① I've got a crush on you.

   ② This is a present for you.

   ③ It's on the house.

· minute : (시간의 단위) 분 / 잠깐
· awkward : 어색한, 곤란한, 이상한
· ahead : 앞으로, 미리
· unexpected : 예상 밖의, 뜻밖의
· crush : 으스러뜨리다 / 홀딱 반함

필수 어휘와 표현을 이용하여, 우리말에 맞게 영어 문장을 완성해 보세요.

01. Do you have a _____ to _____ ?

    잠깐 이야기 좀 할 수 있을까?

02. This might _____ a bit _____ .

    이건 어쩌면 좀 이상하게 들릴지도 몰라.

03. That's _____ .

    그건 예상 밖이다.

I have a thing for you.

너한테 관심있어. 너한테 반했어.

① _____

② _____

③ _____

꿀팁! 대화 중에 서로의 마음을 확인하는 문장들이 있었죠.

I have a thing for you. 외에 I've got a crush on you. 라는 문장으로도 확인할 수 있었습니다.

대화를 하던 두 사람은 단순한 플러팅(flirting)은 아닌 것 같네요.

흥미로운 상황인 만큼 작업 멘트(pick up line) 몇 개 더 살펴볼까요?

- I can't live without you. 난 너 없이 못 살아.
- I can't breathe without you. 나 너 없이 숨을 쉴 수가 없어.
- Are you a camera? Every time I look at you, I smile. 카메라야? 널 볼 때마다 미소를 짓게 돼.

Useful Expressions 시간 좀 있어?

시간이 있냐고 묻는 표현으로, Do you have a minute to talk?를 살펴본 상황인데, 추가로 더 알아볼게요.

* Can I talk to you for a second?

  Can I have a word with you?

  Can I borrow you for a minute?

  Can I have a minute of your time?

04 홀가분하다.

3·3·3

월   일   요일

오랫동안 부담을 갖고 있던 일을 끝냈을 때, 기분이 어떠신가요?

직장에서의 중요한 일일 수도 있고, 준비하고 있던 자격증 시험일 수도 있고, 다양한 일들이 있을텐데,

잘 마무리를 하고 나면 홀가분한 기분이 들죠.

그 표현을 영어로 말해볼까요?

오늘의 문장을 어떻게 말할지, 나만의 영어로 먼저 적어보세요.

If it were me, I would say :

대화

A   Jimmy, you seem much happier today.

B   Yeah, I finally finished the project.

A   Ah, you've been working on it for months.

B   Right, I can't tell you how much pressure I've been feeling lately.

A   Well, congratulations.

B   Actually, that's a load off my back.

A   I can relate to that. It's a weight off your shoulders.

01. B의 심경 변화로 가장 적절한 것을 고르세요.

    ① stressed → relieved

    ② delighted → disappointed

    ③ satisfied → depressed

02. 대화를 통해 알 수 있는 내용을 고르세요.

    ① B는 수개월간 하던 일을 마무리 지었다.

    ② A와 B는 외식하러 갈 것이다.

    ③ B는 어깨 운동을 하러 갈 것이다.

03. A가 말한 I can relate to that. 대신에 쓸 수 있는 말을 고르세요.

    ① It's related to work.

    ② I understand how you feel.

    ③ I'm so stressed out.

· happier : 더 행복한
· project : 프로젝트
· work on : 노력을 들이다, 공들이다
· load : 짐 / 짐을 싣다
· relate : 관련시키다

필수 어휘와 표현을 이용하여, 우리말에 맞게 영어 문장을 완성해 보세요.

01. You seem _____ _____ today.

너 오늘 훨씬 더 행복해 보인다.

02. You've been _____ _____ it for months.

넌 그 일을 수개월간 했잖아.

03. I _____ _____ to that.

공감된다.

That's a load off my back.

홀가분하다. 짐을 덜었다.

① _____

② _____

③ _____

꿀팁! That's a load off my back. 등에서 짐을 덜었다는 표현인데요,
back 대신 mind로 바꿔서 쓸 수도 있어요.

· That's a load off my mind. 마음을 짐을 덜었어.

또한, 대화 마지막 부분에도 쓰인 It's a weight off your shoulders. 기억나시죠?
어깨에서 무게[짐]를 덜었다는 표현이죠. 이렇게 응용하시면 됩니다.

· That's a weight off my shoulders.

Useful Expressions 공감을 나타내는 표현

공감할 때 쓸 수 있는 말을 추가로 알아볼까요?

* I can relate to that. 나도 그거 공감해.

  I relate to that. 나도 그거 이해해.

  I feel you. 네 마음 이해해.

간결하죠? 유용하게 활용해 보세요.

05 마음대로 해.

월   일   요일

상대방에게 원하는대로 하라는 뜻으로 "마음대로 해, 너 원하는 거 해"라고 하죠?
물론, 어떤 상황이냐에 따라 말 그대로 마음대로 하라는 뜻으로도 쓸 수 있고, 때론 비꼬는 의미로
상관 안 할 테니 마음대로 해버리라는 뜻으로도 쓸 수 있습니다.
이에 관련된 영어 표현을 알아볼까요?

> 오늘의 문장을 어떻게 말할지, 나만의 영어로 먼저 적어보세요.

If it were me, I would say :

대화

A Bob, are you coming to the party tonight?

B Well, I'm still debating.

A Are you feeling under the weather?

B Yeah, sort of. And I'm not really feeling it tonight.

A Come on, it'll be fun!

B Honestly, I'm in an awkward situation with Mark.

A Ah, I got it. Suit yourself. See you around.

01. B와 사이가 안 좋은 사람은 누구인가요?

① A

② The whole team

③ Mark

02. 대화를 통해 알 수 있는 내용을 고르세요.

① B는 Mark와 함께 파티에 참석할 것이다.

② A는 B를 계속 설득할 것이다.

③ B는 파티에 참석하지 않을 것이다.

03. B가 말한 I'm still debating. 대신에 쓸 수 없는 말을 고르세요.

① I'm torn.

② I'm on the fence.

③ I'm thinking about him.

· debate : 논의 / 논의하다, 곰곰이 생각하다
· under the weather : 몸이 좀 안 좋은
· sort of : 어느 정도
· awkward situation: 난처한 상황, 곤란한 입장
· suit : 정장 / 맞다, 어울리다

필수 어휘와 표현을 이용하여, 우리말에 맞게 영어 문장을 완성해 보세요.

01. I'm _____ _____ .

난 아직 고민중이야.

02. Are you _____ the _____ ?

컨디션 안좋아?

03. I'm in an _____ _____ with him.

난 그와 좀 어색한 상황이야.

Suit yourself.

마음대로 해. 너 원하는 거 해.

①

②

③

꿀팁!   Suit yourself.는 이미 설명해드린 대로 상황에 따라 긍정적인, 부정적인 뉘앙스를 모두 담을 수 있죠. 반면, 다음 표현들은 좀 더 예의있게 느껴지고, 긍정적인 상황에서 쓰이게 됩니다.

- As you please. 원하는 대로요.
- Be my guest. (주로 부탁 받았을 때 응답) 원하는 대로 하세요.

Tongue Twister   [f] [r] vs. [fr] [br] 발음 집중 연습

Fred fed Ted bread, and   프레드는 테드에게 빵을 먹였고,
[f뤠ㄷ f네 ㄷ 테ㄷ ㅂ뤠–덴]

Ted fed Fred bread.   테드는 프레드에게 빵을 먹였다.
[테ㄷ f네 ㄷ f뤠ㄷ ㅂ뤠ㄷ]

[f] 발음을 집중적으로 연습해 보세요.
또한 [fr], [br] 발음에도 신경 써서 연습해 보세요.

참으로 힘든 상황인데요.

음식을 너무 과하게 먹거나, 불편하게 식사를 하는 경우, 또는 컨디션이 그다지 좋지 않을 때 맞지 않는 음식을 먹는 경우, 체하기 쉽죠?

"체했어, 소화가 잘 안돼"라는 말은 영어로 어떻게 표현할 수 있을까요?

> 오늘의 문장을 어떻게 말할지, 나만의 영어로 먼저 적어보세요.

If it were me, I would say :

대화

A How was that new Chinese restaurant you tried last night?

B It was so delicious. The atmosphere is right up my alley.

A That's great. I'm gonna go to that restaurant tonight.

B But there's something you need to be careful about. It's so good that you can eat too much. Actually, I have indigestion now.

A Oh, that doesn't sound pleasant. What's good for digestion?

B I've been sipping on some Green Plum Tea. I'll be alright.

01. A는 무엇에 대해 질문하고 있나요?

① New restaurant

② Allergy

③ Side effect

02. 대화를 통해 알 수 <u>없는</u> 내용을 고르세요.

① A와 B는 어제 저녁을 함께 먹었다.

② B는 민간요법 중이다.

③ A는 오늘 저녁에 외식할 것이다.

03. B가 말한 The atmosphere is right up my alley. 대신에 쓸 수 있는 말을 고르세요.

① I like the alley.

② It's my cup of tea.

③ I went to the alley.

· atmosphere : 분위기, 공기
· alley : 골목
· digestion : 소화
· pleasant : 기분 좋은
· sip : 홀짝이다, 조금씩 마시다

필수 어휘와 표현을 이용하여, 우리말에 맞게 영어 문장을 완성해 보세요.

01. The _____ is right up my _____ .

분위기가 딱 내 스타일이야.

02. What's _____ for _____ ?

소화에 좋은 게 뭐가 있지?

03. I've been _____ on some Green Plum _____ .

매실차를 조금씩 마시고 있어 .

I have indigestion.

나 소화불량이야.

① _____

② _____

③ _____

꿀팁! 소화가 잘 안될 때 쓸 수 있는 표현을 추가로 알려드릴게요.

- I have digestive disorder. 나 소화 장애가 있어.
- I have an upset stomach. 나 속이 불편해(배탈 났어).

Useful Expressions be sipping on ～을 조금씩 마시다

대화 마지막 부분에서 본, I've been sipping on some Green Plum Tea.라는 문장을 통해,
[be sipping on] 구조를 좀 더 활용해 볼까요?
뭔가를 홀짝홀짝 조금씩 마시는 모습을 동사 sip으로 표현하면 좋습니다. on 뒤에 마시는 음료를 넣어주기
만 하면 됩니다.

* **I'm sipping on** hot water. 뜨거운 물을 조금씩 마시는 중이야.

* **I'm sipping on** my latte. 라떼를 조금씩 마시는 중이야.

* **I'm sipping on** Black tea. 홍차를 조금씩 마시는 중이야.

07 이 잠꾸러기야.

3·3·3

월 일 요일

아니, 12시간째 자고 있네?
깨우면 혼나겠지? 이 잠꾸러기!

드르렁-
드르렁-

어릴수록 잠꾸러기일 가능성이 많다고 하죠?
물론, 밤 늦게까지 깨어 있는 습관이 있어도 다른 사람 눈에는 잠꾸러기로 보일 가능성도 크죠.
이처럼 잠이 많은 사람을 보고 "잠꾸러기"라는 귀여운 표현으로 묘사하곤 하는데요.
영어로도 이런 표현이 있을까요? 함께 알아보시죠.

오늘의 문장을 어떻게 말할지, 나만의 영어로 먼저 적어보세요.

If it were me, I would say :

대화

A   Wake up, sleepyhead! It's time to get up.

B   What time is it?

A   It's almost noon.

B   Oh, let me sleep just 5 more minutes.

A   You promised me yesterday to go workout before lunch.

B   But I was up late studying for exams.

A   Yeah, yeah, yeah. But you can't spend the whole day in bed. Let's go seize the day.

---

01. B는 어제 무엇 때문에 늦게 잠을 잤나요?

① cleaning

② binge watching

③ studying

02. 대화를 통해 알 수 있는 내용을 고르세요.

① B는 오늘 운동하기로 약속했었다.

② B는 A의 성향을 닮았다.

③ A는 더 이상 B를 깨우려는 의지가 없다.

03. A가 말한 Let's go seize the day.를 적절히 해석한 것을 찾으세요.

① 나 때는 말이야.

② 오늘 충실히 살자.

③ 오늘은 마무리하자.

· **wake up** : 정신을 차리다. 깨어나다
· **promise** : 약속하다
· **go workout** : 운동하러 가다
· **be up late** : 늦게까지 깨어 있다
· **seize** : 붙잡다

필수 어휘와 표현을 이용하여, 우리말에 맞게 영어 문장을 완성해 보세요.

01. You _____ me yesterday to go _____.

   너 어제 나한테 운동하러 가기로 약속했잖아.

02. I _____ studying for exams.

   시험 공부하느라 밤늦게까지 깨어 있었어.

03. Let's go _____ the day.

   오늘을 충실히 살자.

sleepyhead
잠꾸러기

① _____

② _____

③ _____

꿀팁! sleepyhead는 "잠꾸러기"라는 귀여운 표현입니다.

또한 여성에서 쓸 수 있는 표현으로 Sleeping Beauty도 있어요.

동화 〈잠자는 숲속의 공주〉에서 유래된 표현이죠.

특별히 잠을 오래 자는 여성에게 "잠꾸러기"라고 표현할 때 사용합니다.

추가로, 미용과 건강을 위해 필요한 잠은 Beauty Sleep이라고 합니다.

Useful Expressions 밤을 새다

I was up late studying for exams. 시험 공부하느라 밤늦게까지 깨어 있었어.

시험공부 하느라 늦게까지 잠을 안 자고 있던 상황을 묘사한 문장이었어요.

늦게까지 잠을 안자고 있는 상황을 나타내는 표현을 더 알려드릴게요.

* I **stayed awake late at night**. 나는 밤늦게까지 깨어 있었어.

  I have been **burning the midnight oil**. 나는 밤늦게까지 일하고 있어(밤새워 일하고 있어).

월   일   요일

운동을 즐기시나요?

제 주변에도 운동을 매일 하는 지인이 있는데, 어떻게 그럴 수 있는지 이해하기가 쉽지는 않지만

탄탄한 근력이 생기는 지인들을 보면서 운동의 장점은 잘 알고 있어요.

하지만, 일주일 내내 운동을 챙겨 하는 제 지인에게 "운동 중독이다"라는 말을 종종 하게 됩니다.

영어로는 어떻게 말하면 좋을까요?

오늘의 문장을 어떻게 말할지, 나만의 영어로 먼저 적어보세요.

If it were me, I would say :

대화

A   Hey, let's go grab dinner after class.

B   I'd love to, but I can't. I have a Pilates class at 7.

A   Really? Didn't you go to the gym during lunchbreak?

B   I did. But the two are completely different exercises.

A   Wow, you're obsessed with doing exercises.

B   Well, I'm just trying to stay healthy.

A   I get that. I wish I could enjoy exercise like you.

01. A는 B와 무엇을 하고 싶어했나요?

  ① having dinner

  ② doing exercise

  ③ holding a meeting

02. 대화를 통해 알 수 있는 내용을 고르세요.

  ① B는 A와 저녁을 먹을 예정이다.

  ② B는 오늘 운동을 두 번 하는 날이다.

  ③ A도 운동을 좋아한다.

03. B가 운동을 좋아하는 주된 이유는 무엇인가요?

  ① 체중 조절을 위해

  ② 건강을 지키기 위해

  ③ 건강 검진을 준비하려고

· grab dinner : 저녁 먹으러 가다
· Pilates : 필라테스
· lunchbreak : 점심시간
· completely : 완전히
· obsessed : 사로잡히다

필수 어휘와 표현을 이용하여, 우리말에 맞게 영어 문장을 완성해 보세요.

01. Let's go _____.

    나랑 저녁 먹으러 가자.

02. I have a _____ at 7.

    7시에 필라테스 수업이 있어.

03. They are _____ exercises.

    그(것)들은 완전히 다른 운동이야.

You're obsessed with doing exercises.

너 운동 중독이구나.

① _____

② _____

③ _____

꿀팁! 운동에 관련된 유용한 표현들을 알려 드릴게요.

- PT를 받으신다면?

  I work out with a **personal trainer**. 나는 개인 트레이너와 함께 운동해.

- 유산소 운동을 한다면?

  I do some **cardio**. 나는 유산소 운동을 해.

- 근력 운동을 한다면?

  I do some **weight training**. 나는 근력 운동을 해(웨이트 트레이닝을 해).

Useful Expressions be obsessed with ~에 푹 빠져 있다

You're obsessed with doing exercises.의 [be obsessed with]를 활용한 문장들을 더 알아볼까요?

* I**'m obsessed with** work. 나는 일에 푹 빠져 있어.

* I**'m obsessed with** the TV series. 나는 그 드라마에 푹 빠져 있어.

* He**'s obsessed with** playing computer games. 그는 컴퓨터 게임에 푹 빠져 있어.

이처럼 무엇인가에 사로잡히고 몰두하고 푹 빠져 있는 상황을 묘사할 때 유용하게 쓰일 수 있어요.

너만 알고 있어.

3·3·3

어떤 소식을 비밀리에 전하고 싶을 때, 꼭 하는 말이 있죠.

"너만 알고 있어, 비밀이야" 이런 말이 해당합니다.

영어로 하면, "비밀"이라는 뜻을 가진 secret이 꼭 들어가야 할까요? 과연 어떤지 알아볼게요.

오늘의 문장을 어떻게 말할지, 나만의 영어로 먼저 적어보세요.

If it were me, I would say :

대화

A   I have something to share with you.

B   What's up?

A   It's exciting news. I got accepted into my dream job!

B   That's fantastic! Congratulations. You totally deserve it.

A   Thanks. I'm over the moon about it. I've been working so hard for this.

B   Yes, I know. I've been rooting for you. I'm so happy for you.

A   Please keep it to yourself until I tell the others about this.

01. A의 기분은 어떤 것 같나요?

① irritated

② sympathetic

③ delightful

02. 대화를 통해 알 수 있는 내용을 고르세요.

① A는 취업에 성공했다.

② B는 A를 질투한다.

③ A는 달 탐사에 관심이 있다.

03. 다음 중 칭찬의 의미로 쓰일 수 있는 문장을 고르세요.

① I'm excited.

② I'm over the moon.

③ You deserve it.

· got accepted : 합격했다
· deserve : 자격이 있다, 받을 만 하다
· root for : 응원하다
· hard : 열심히
· keep : 유지하다, 지키다

필수 어휘와 표현을 이용하여, 우리말에 맞게 영어 문장을 완성해 보세요.

01. I _____ _____ into my dream job.

꿈의 직장에 합격했어.

02. You _____ _____ it.

넌 완전 그럴만한 자격 있어.

03. I've been working _____ for this.

난 이걸 위해 정말 열심히 했지.

Keep it to yourself.
너만 알고 있어.

① _____

② _____

③ _____

꿀팁! Keep it to yourself. 비밀이야, 너만 알고 있어.라는 뜻이었어요.
물론 아주 직접적으로 It's a secret.라고도 말할 수 있죠.
그 밖에, This is just between you and me.라고도 합니다.

그럼, "비밀 지킬게."라는 다짐하는 말도 알아보면 좋겠죠?
- My lips are sealed.
- My lips are zipped.

같이 연습해 보세요.

Tongue Twister 발음 집중 연습

[wʊd], [tʃʌk]을 집중적으로 연습해 보세요.
How much **wood** would a **woodchuck chuck** 마멋이 나무를 던질 수 있다면
[하우 머취 웓 웓어 웓척 척]

if a **woodchuck** could **chuck wood**? 얼마나 많은 나무를 던질 수 있을까요?
[이퍼 웓척 쿧 척 웓]

월   일   요일

칼국수 좋아하시나요? 저는 좋아하는 음식 중 하나입니다.

특히 비 오는 날이면 칼국숫집에 많은 사람들이 모이는 걸 볼 수도 있고요.

문득, 좋아하는 칼국수를 먹은 지 오래된 것 같네요.

그런데 이 말은 영어로 어떻게 하면 좋을까요?

오늘의 문장을 어떻게 말할지, 나만의 영어로 먼저 적어보세요.

If it were me, I would say :

대화

A   Emily, how have you been?

B   I've been good, and you?

A   I've been busy with work. Oh, it's raining outside.

B   Speaking of it, I'm craving something spicy.

A   Same here. What should we eat?

B   Actually, it's been ages since I had Kalguksu.

A   There's a famous restaurant for Kalguksu. Let's go there together.

01. 대화 중의 날씨는 어떤가요?

① snowy

② raining

③ hailing

02. 대화를 통해 알 수 없는 내용을 고르세요.

① A와 B는 꽤 오랜만에 만났다.

② B는 칼국수를 먹은 지 오래되었다.

③ A와 B는 칼국수 맛집을 같이 가본 적이 있다.

03. A와 B는 지금 어떤 음식이 당긴다고 했나요?

① 매콤한 음식

② 밀가루 음식

③ 뜨거운 음식

오늘의 필수 어휘 및 표현을 확인해 보세요.

· busy with : ~로 바쁜
· speaking of it : 그러고 보니
· crave : 갈망하다, 열망하다, 당기다
· since : ~이래로
· famous : 유명한

필수 어휘와 표현을 이용하여, 우리말에 맞게 영어 문장을 완성해 보세요.

01. I've been _____ _____ work.

    일 하느라 바쁘게 지냈어.

02. I'm _____ something _____.

    매콤한 게 당긴다.

03. It's been _____ I had Kalguksu.

    칼국수 먹은 지 오래되었다.

It's been ages since I had Kalguksu.

칼국수 먹은 지 오래되었다.

①

②

③

끌팁! 오래되었다는 말을 전달할 때, It's been ages.뿐 아니라, 자주 쓰이는 다른 표현도 알아볼까요?

- It's been a long time. 오랜만이야.
- It's been a while. 한동안 못 봤네.

Useful Expressions Speaking of it 그러고 보니

"그러고 보니"라는 표현으로 Speaking of it을 소개해 드렸는데,

기본적으로는 앞에 언급된 것에 대해 자연스럽게 연결하는 느낌입니다.

"말이 나왔으니 말인데, ~에 대해 말하자면"이라는 의미로도 기억해 두세요.

Speaking of which로 바꿔 말할 수도 있습니다.

* **Speaking of which**, I should book a concert ticket. 말 나온 김에, 콘서트 티켓 예매를 해야겠다.

쉬어가기

I'm afraid my neighbor may be stalking me.
She's been googling my name last night.
I saw it clearly through my binoculars.

내 이웃이 스토킹할지도 몰라서 걱정돼요.
그녀는 지난밤에 내 이름을 검색했어요.
제가 망원경으로 똑똑히 봤다고요.

정답 / 해설

01 뺀질거리지 좀 마.

> **대화**
>
> A : 마크, 집중 좀 할래? 이건 장난이 아니라고. 게으름 피우지 좀 마.
>
> B : 아, 미안. 사실 이 소프트웨어 처음 봐. 꽤 재밌네.
>
> A : 알잖아, 우리 게으름 피울 시간이 없다고.
>
> B : 알아, 알아. 마감일이 있잖아.
>
> A : 내 말이.
>
> B : 이번 주까지 끝내야 하고.
>
> A : 맞아. 모두의 집중이 필요해. 바로 시작하자.

01   Can you focus for a moment?, Stop goofing around.라고 한 것으로 보아 B때문에 짜증난 상태이다.

02   We have a deadline to meet. We need everyone's full attention. 이를 통해 ①, ③의 내용을 확인할 수 있다.

03   ③ 다른 걸 말해.

정답 **p11** 01 ②   02 ②   03 ③

p12 01 afford to waste   02 goof around   03 everyone | attention

02 내 취향은 아니야.

> **대화**
>
> A : 이 원피스 어때?
>
> B : 오, 새로 샀어?
>
> A : 응. 이번 토요일에 입으려고 샀어.
>
> B : 토요일? 아, 우리 결혼식 가야지!
>
> A : 맞아! 이 스타일 처음 입어봐. 어떻게 보여?
>
> B : 음. 원피스 패턴이 좀 추상적이네. 내 취향은 아니야.
>
> A : 그래도 솔직하게 말해줘서 고마워. 내일 다시 옷 사러 가야겠다.

01   The pattern of the dress is a bit abstract to me. That's not my taste.라고 했으므로 패턴이 정답이다.

02   B는 전혀 눈치보지 않고 솔직하게 직언을 했다.

03   fair enough : 상대방의 의견에 동의하고, 괜찮다는 의미를 담고 있다.

정답 **p15** 01 ①   02 ③   03 ①

p16 01 wedding | go   02 pattern | abstract   03 wearing | style

●3   너한테 관심있어.

01 I have a thing for you. I've got a crush on you. How about going out for dinner tonight?
등의 문장을 통해 둘이 좋아하는 것을 알 수 있다.

02 서로 호감이 있으니 저녁식사 데이트 이야기로 이어졌다.

03 I have a thing. 호감이 있다는 표현으로 대화에서 ①과 같은 의미로 쓰였다.
② 널 위한 선물이야.   ③ 이건 무료입니다.

정답 **p19**   01 ③   02 ①   03 ①

p20   01 minute | talk   02 sound | awkward   03 unexpected

●4   홀가분하다.

01 B가 I can't tell you how much pressure I've been feeling lately.라고 했다. 그러니 그동안 스트레스가
많은 상태였고, 지금은 That's a load off my back.이라고 했으므로 한결 편안해짐을 알 수 있다.

02 A가 B에게 You've been working on it for months. 수개월간 그 일에 매달렸다고 말했다.

03 공감한다는 말을 한 맥락을 고려하여, I understand how you feel.로 대체할 수 있다.

정답 **p23**   01 ①   02 ①   03 ②

p24   01 much happier   02 working on   03 can relate

마음대로 해.

> **대화**
>
> A : 밥, 오늘 밤 파티에 올 거야?
>
> B : 아직 고민 중이야.
>
> A : 몸이 안 좋아?
>
> B : 약간. 그리고 오늘은 별로 기분이 안 나.
>
> A : 그래도 와봐. 재미있을 거야!
>
> B : 솔직히, 마크랑 좀 어색한 상황이야.
>
> A : 아, 알겠어. 알아서 해. 나중에 보자.

01 B가 한 말 중에, I'm in an awkward situation with Mark.라고 했으므로 ③이 정답이다.

02 I'm still debating.이라고 하면서 B는 파티에 가는 걸 주저하고 있고, A도 Suit yourself. 라고 했으므로 가자고 더 설득할 것으로 보이지 않는다. 따라서 ③은 알 수 없다.

03 I'm still debating. 고민 중이라는 뜻이니 ③ 그에 대해 생각중이다.는 전혀 상관없는 말이다.

정답 **p27** 01 ③ 02 ③ 03 ③

p28 01 still debating 02 feeling under | weather
03 awkward situation

 **소화가 안돼.**

> **대화**
>
> A : 어젯밤에 갔던 새로운 중국 음식점 어땠어?
>
> B : 정말 맛있었어. 분위기도 완전 내 스타일이야.
>
> A : 좋네. 오늘 밤 그 음식점에 가볼까 해.
>
> B : 그런데 한 가지 주의할 점이 있어. 너무 맛있어서 과식할 수 있어. 사실, 나 지금 소화불량이야.
>
> A : 아, 그건 안 좋네. 소화에 뭐가 좋지?
>
> B : 매실차를 조금씩 마시고 있어. 곧 나아질 거야.

01 새로 생긴 chinese restaurant에 대해 질문하고 있다.

02 A가 B에게 어제 갔던 새로운 중식당이 어땠는지 물었고, I'm gonna go to that restaurant tonight.라고 했으니 어제 함께 저녁 식사를 한 게 아니다.

03 Be right up one's alley. "취향에 딱 맞다"는 뜻의 표현이다.
② It's my cup of tea. 내 취향이다.

정답 **p31** 01 ① 02 ① 03 ②

p32 01 atmosphere | alley 02 good | digestion 03 sipping | tea

07 이 잠꾸러기야.

> **대화**
>
> A : 일어나, 잠꾸러기! 일어날 시간이야.
>
> B : 몇 시예요?
>
> A : 거의 12시야.
>
> B : 아, 5분만 더 자게 해주세요.
>
> A : 어제 점심 전에 운동 가자고 약속했잖아.
>
> B : 하지만 시험 공부하느라 늦게 잤어요.
>
> A : 그래, 그래. 그래도 하루 종일 침대에 있을 순 없지. 현재를 (충실히) 살자고.

01 B가 I was up late studying for exams. 라고 했으므로 ③이 정답이다.

02 A가 You promised me yesterday to go workout before lunch.라고 한 것을 보아 B는 운동하기로
약속했었다.

03 seize the day : 기회를 잡다. 오늘을 잘 살다

정답 **p35** 01 ③   02 ①   03 ②

   p36 01 promised｜workout   02 was up late   03 seize

08 너 운동 중독이구나.

> **대화**
>
> A : 수업 끝나고 저녁 먹으러 가자.
>
> B : 정말 가고 싶은데, 7시에 필라테스 수업이 있어.
>
> A : 정말? 점심시간에 헬스장 갔지 않았어?
>
> B : 맞아. 하지만 둘은 완전히 다른 운동이야.
>
> A : 와, 너 운동에 집착하는구나.
>
> B : 그냥 건강을 유지하려고 하는 거야.
>
> A : 이해해. 나도 너처럼 운동을 즐길 수 있으면 좋겠어.

01 Let's go grab dinner.이라고 제안했고, B도 I'd love to.라고 했는데 운동 일정이 있어서 못간다는 아쉬움을
내비쳤다.

02 B는 점심시간에 이미 운동을 했고, 또 저녁 7시에 할 운동은 또 다른 운동이라고 부연설명했다. B는 오늘 운동을
두 번 하는 날이다.

03 I'm just trying to stay healthy. 건강을 유지하기 위해 노력한다고 했으므로 ②가 정답이다.

정답 **p39** 01 ①   02 ②   03 ②

   p40 01 grab dinner   02 Pilates class   03 completely different

09 너만 알고 있어.

A : 너한테 할 말이 있어.

B : 무슨 일이야?

A : 신나는 소식이야. 내가 꿈꾸던 직장에 합격했어!

B : 대박! 축하해. 넌 정말 그럴 자격이 있어.

A : 고마워. 너무 기뻐. 정말 열심히 노력했거든.

B : 맞아. 널 응원하고 있었는데, 너무 잘 됐다.

A : 내가 다른 사람들에게 말하기 전까지는 비밀로 해줘.

01 It's exciting news. I'm over the moon.이라는 문장을 통해 매우 기분이 좋은 상태임을 알 수 있다.

02 I got accepted into my dream job.을 통해 A가 취업에 성공했음을 알 수 있다.

03 ③ You deserve it. 당신은 그럴 자격이 있다.

정답 **p43** 01 ③   02 ①   03 ③

p44 01 got accepted   02 totally deserve   03 so hard

10 칼국수 먹은 지 오래되었다.

A : 에밀리, 어떻게 지냈어?

B : 잘 지냈어, 너는?

A : 나도 일 때문에 바빴어. 오, 밖에 비가 오네.

B : 그러고 보니, 매운 게 땡기네.

A : 나도 그래. 뭐 먹을까?

B : 사실, 나 칼국수 먹은 지 오래됐어.

A : 유명한 칼국숫집이 있어. 우리 같이 가자.

01 It's raining outside. 밖에 비가 온다는 말이다.

02 첫 인사에 How have you been?을 통해 둘이 오랜만에 만났다는 걸 알 수 있다. It's been ages since I had Kalguksu. B는 칼국수를 먹은 지 오래됐다고 했다.

03 I'm craving something spicy. 매콤한 게 당긴다는 말이다.

정답 **p47** 01 ②   02 ③   03 ①

p48 01 busy with   02 craving｜spicy   03 ages since

MEMO

MEMO

MEMO

333 영어 LEVEL3_1

초판 1쇄 인쇄   2024년 11월 25일
초판 1쇄 발행   2024년 12월 9일

지은이   조정현
발행인   임충배
홍보/마케팅   양경자
편집   김인숙, 왕혜영
디자인   이경자, 김혜원
펴낸곳   도서출판 삼육오(PUB.365)
제작   (주)피앤엠123

출판신고 2014년 4월 3일
등록번호 제406-2014-000035호

경기도 파주시 산남로 183-25
TEL 031-946-3196 / FAX 050-4244-9979
홈페이지   www.pub365.co.kr

ISBN 979-11-92431-82-6(14740)
ⓒ 2024 조정현 & PUB.365